FICHA CATALOGRÁFICA
(Preparada na Editora)
Xavier, Francisco Cândido, 1910-2002.

X19m Meditações Diárias / Francisco Cândido Xavier, Espírito André Luiz. Araras, SP, 1ª edição, IDE, 2009.

160 p.:

ISBN 978-85-7341-440-0

1. Espiritismo 2. Psicografia. I. André Luiz. II. Título.

CDD -133.9
-133.91

Índices para catálogo sistemático:
1. Espiritismo 133.9
2. Psicografia: Espiritismo 133.91

André Luiz

Meditações Diárias

ISBN 978-85-7341-440-0

1ª edição - abril/2009
17ª reimpressão - julho/2023

Copyright © 2009,
Instituto de Difusão Espírita - IDE

Conselho Editorial:
Doralice Scanavini Volk
Wilson Frungilo Júnior

Produção e Coordenação:
Jairo Lorenzeti

Capa:
César França de Oliveira

Diagramação:
Maria Isabel Estéfano Rissi

Parceiro de distribuição:
Instituto Beneficente Boa Nova
Fone: (17) 3531-4444
www.boanova.net
boanova@boanova.net

INSTITUTO DE DIFUSÃO ESPÍRITA - IDE
Rua Emílio Ferreira, 177 - Centro
CEP 13600-092 - Araras/SP - Brasil
Fones (19) 3543-2400 e 3541-5215
CNPJ 44.220.101/0001-43
Inscrição Estadual 182.010.405.118
www.ideeditora.com.br
editorial@ideeditora.com.br

Todos os direitos reservados. Nenhuma parte desta publicação pode ser reproduzida, armazenada ou transmitida, total ou parcialmente, por quaisquer métodos ou processos, sem autorização do detentor do copyright.

Psicografado por
Chico Xavier

Pelo Espírito

André Luiz

Meditações Diárias

índice

sem desânimo 8
seguindo em frente 12
sempre melhor..16
teste do processo desobsessivo........................20
saúde e equilíbrio 24
verbos cristãos 28
chaves libertadoras...32
não perca 36
momento de luz...40
pensamento e desobsessão 44
bilhete da regra áurea.....................................48
lembranças de paz 52
decálogo da desobsessão.................................56
auxilia também..60

brandura 64
dez maneiras de amar a nós mesmos 68
Deus e nós 72
preceitos de paz e alegria 76
evitando obsessões 80
sinceramente 84
pequenas regras de desobsessão 88
rogativa do servo 92
dez sugestões 96
quando... 100
pense nisso 104
pessoa menos obsedável 108
preceitos de paz 112
petição de servidor 116
mediunidade e você 120
autodesobsessão 124
desobsessão sempre 128
não julgues teu irmão 132
programa de paz 136
terapêutica desobsessiva 140
traços do caráter espírita 144
acende a luz 148
auxílio em desobsessão 152
André Luiz, *Hércio M.C. Arantes* 156

Mensagens selecionadas dos livros:
Apostilas da Vida, Brilhe Vossa Luz, Caminho Espírita, Caridade, Comandos do Amor, Encontro de Paz, Passos da Vida, Paz e Renovação, Servidores no Além, Tempo de Luz, Visão Nova. Edições IDE Editora.

sem desânimo

Se você deixou de trabalhar, entrando em desânimo, examine o tráfego numa rua simples.

Ônibus, automóveis, caminhões, ambulâncias e viaturas diversas passam em graus de velocidade diferente, cumprindo as tarefas que lhes foram assinaladas.

Nenhum veículo segue sem objetivo e sem direção.

Observe, porém, o carro parado, fora da pista.

Além de constituir uma tentação para malfeitores e um perigo no trânsito, é também um peso morto na economia geral, porquanto foge do bem que lhe cabe fazer.

Entretanto, se o dono resolve recuperá-lo, aparecem, de pronto, motoristas abnegados, que se empenham a socorrê-lo.

Considera a lição e não gaste o seu tempo, acalentando enguiços na própria alma, que farão de você um trambolho para os corações queridos que lhe partilham a marcha.

Qual acontece ao veículo mais singelo, você pode perfeitamente auxiliar nos caminhos da vida, arrancar um companheiro dessa ou daquela dificuldade, carregar um doente, transportar uma carta confortadora, entregar um remédio ou distribuir alimento.

Se você quiser, realmente, largar o cantinho da inércia, rogue amparo aos Espíritos Benevolentes e Sábios que funcionam, caridosamente, na condição de mecânicos da Providência Divina, e eles colocarão você, mas para que isso aconteça, é preciso, antes de tudo, que você pense em servir, dispondo-se a começar.

Quando estiveres à beira da explosão na cólera, cala-te mais um pouco e o silêncio nos poupará enormes desgostos.

seguindo em frente

Seja qual seja o seu problema,

conserve fé em Deus e fé em você mesmo, sem desistir de trabalhar.

Ninguém progride sem dificuldade a vencer.

A luta é condição para a vitória.

Não abandone os seus encargos no bem.

Não perca tempo, lembrando episódios tristes.

Desculpe qualquer ofensa.

Esqueça ressentimentos, venham de onde vierem.

Auxilie aos outros, como puder e tanto quanto puder, no clima da consciência tranquila.

Não procure defeitos nos semelhantes.

    Se você está num momento, considerado talvez, como sendo o pior de sua vida, siga adiante, com o seu trabalho, na certeza de que se hoje o céu aparece toldado de nuvens, a luz voltará no firmamento e o dia de amanhã será melhor.

Quando fores tentado a examinar as consciências alheias, guarda os princípios do respeito e da fraternidade mais um pouco e a benevolência nos livrará de muitas complicações.

sempre melhor

Em todos os caminhos da

vida, encontrarás obstáculos a superar.

Se assim não fosse, como provarias a ti mesmo a sinceridade dos teus propósitos de renovação?

Aceita as dificuldades com paciência, procurando guardar contigo as lições de que se façam portadoras.

Com todos temos algo de bom para aprender e em tudo temos alguma cousa de útil para assimilar.

Nada acontece por acaso e, embora te pareça o contrário, até mesmo o mal permanece a serviço do bem.

A resignação tem o poder de anular o impacto do sofrimento.

Se recebes críticas ou injúrias, não te aflijas pela resposta verbal aos teus adversários. Muitas vezes, os que nos acusam desejam apenas distrair-nos a atenção do trabalho a que nos dedicamos, fazendo-nos perder preciosos minutos em contendas estéreis.

Centraliza-te no dever a cumprir, refletindo que toda semente exige tempo para germinar.

Toda vitória se fundamenta na perseverança e sem espírito de sacrifício ninguém concretiza os seus ideais.

Busca na oração coragem para superar os percalços exteriores da marcha, e humildade para vencer os entraves do teu mundo interior.

Aceita os outros como são a fim de que te aceitem como és, porquanto, de todos os patrimônios da vida, nenhum se compara à paz de quem procura fazer sempre o melhor, embora consciente de que esse melhor ainda deixe muito a desejar.

Quando o desânimo impuser a paralização de tuas forças na tarefa a que foste chamado, prossegue agindo no dever que te cabe, exercitando a resistência mais um pouco e a obra realizada ser-nos-á bênção de luz.

teste do processo desobsessivo

Verifique você:

se já consegue dispensar aos outros o tratamento que desejaria receber;

se adia a execução das próprias tarefas;

se reconhece que toda criatura humana é imperfeita quanto nós mesmos e que, por isso, não nos será lícito exigir do próximo testemunhos de santidade e grandeza na passarela do mundo;

se guarda fidelidade aos compromissos assumidos;

se cultiva a pontualidade;

se evita contrair débitos;

se orienta a conversação sem perguntas desnecessárias;

se acolhe construtivamente as críticas de que se faz objeto;

se fala auxiliando ou agredindo a quem ouve;

se conserva ressentimentos;

se sabe atrair amigos e alimentar afeições;

se mantém um autocontrole, na vida emotiva, como base de sua dieta mental.

Todos nós, os Espíritos em evolução na Terra, temos a nossa quota de obsessão, em maior ou menor grau. E todos estamos trabalhando pela própria libertação. À vista disso, de quando a quando, é sumamente importante façamos um teste de nosso processo desobsessivo, a fim de que cada um de nós observe, em particular, como vai indo o seu.

Quando a revolta espicaçar-te o coração, usa a humildade e o entendimento mais um pouco e não sofreremos o remorso de haver ferido corações que devemos proteger e considerar.

saúde e equilíbrio

Para garantir saúde e equi-
líbrio, prometa a você mesmo:

I – Colocar-se sob os desígnios de Deus, cada dia, através da oração e sustentar a consciência tranquila, preservando-se contra ideias de culpa.

II – Dar o melhor de si mesmo no que esteja fazendo.

III – Manter coração e mente, atitude e palavra, atos e modos na inspiração constante do bem.

IV – Servir, desinteressadamente, aos semelhantes, quando esteja ao alcance de suas forças.

V – Regozijar-se com a felicidade do próximo.

VI – Esquecer conversações e opiniões de caráter negativo que haja lido ou escutado.

VII – Acrescentar pelo menos um pouco mais de alegria e esperança em toda pessoa com quem estiver em contato.

VIII – Admirar as qualidades nobres daqueles com quem conviva, estimulando-os a desenvolvê-las.

IX – Olvidar motivos de queixa, sejam quais sejam.

X – Viver trabalhando e estudando, agindo e construindo, de tal modo, no próprio burilamento e na própria corrigenda, que não se veja capaz de encontrar as falhas prováveis e os erros possíveis dos outros.

Quando a lição oferecer dificuldades à tua mente, compelindo-te à desistência do progresso individual, aplica-te ao problema ou ao ensinamento mais um pouco e a solução será clara resposta à nossa expectativa.

verbos cristãos

Esperar sem revolta.

Sentir sem maldade.

Conhecer sem desprezar.

Cooperar sem desajustar.

Melhorar sem exigir.

Perseverar no melhor sem esmorecer.

Silenciar sem desajudar.

Servir sem escravizar-se.

Ensinar sem ferir.

Viver buscando a luz sem a aflição do fim.

Progredir constantemente sem deixar de ser simples.

Quando a ideia de repouso sugerir o adiamento da obra que te cabe fazer, persiste com a disciplina mais um pouco e o dever bem cumprido ser-nos-á alegria perene.

chaves libertadoras

Desgosto.

Qualquer contratempo aborrece.

No entanto, sem desgosto, a conquista de experiência é impraticável.

Obstáculo.

Todo empeço atrapalha.

Sem obstáculo, porém, nenhum de nós consegue efetuar a superação das próprias deficiências.

Decepção.

Qualquer desilusão incomoda.

Todavia, sem decepção, não chegamos a discernir o certo do errado.

Enfermidade.

Toda doença embaraça.

Sem a enfermidade, entretanto, é muito difícil consolidar a preservação consciente da própria saúde.

Tentação.

Qualquer desafio conturba.

Mas, sem tentação, nunca se mede a própria resistência.

Prejuízo.

Todo golpe fere.

Sem prejuízo, porém, é quase impossível construir segurança nas relações uns com os outros.

Ingratidão.

Qualquer insulto à confiança estraga a vida espiritual.

No entanto, sem o concurso da ingratidão que nos visite, não saberemos formular equações verdadeiras nas contas de nosso tesouro afetivo.

Desencarnação.
Toda morte traz dor.

Sem a desencarnação, porém, não atingiríamos a renovação precisa, largando processos menos felizes de vivência ou livrando-nos da caducidade no terreno das formas.

Compreendamos, à face disso, que não podemos louvar as dificuldades que nos rodeiem, mas é imperioso reconhecer que, sem elas, eternizaríamos paixões, enganos, desequilíbrios e desacertos, motivo pelo qual será justo interpretá-las por chaves libertadoras, que funcionam em nosso Espírito, a fim de que nosso Espírito se mude para o que deve ser, mudando em si e fora de si tudo aquilo que lhe compete mudar.

não perca

Não perca a esperança.

Há milhões de pessoas aguardando os recursos de que você já dispõe.

Não perca o bom humor.

Em qualquer acesso de irritação, há sempre um suicidiozinho no campo de suas forças.

Não perca a tolerância.

É muita gente a tolerar você naquilo que você ainda tem de indesejável.

Não perca a serenidade.

O problema pode não ser assim tão difícil quanto você pensa.

Não perca a humildade.

Além da planície, surge a montanha, e, depois da montanha, aparece o horizonte infinito.

Não perca o estudo.

A própria morte é lição.

Não perca a oportunidade de servir aos semelhantes.

Hoje e amanhã, você precisará de concurso alheio.

Não perca tempo.

Os dias voltam, mas os minutos são outros.

Não perca a paciência.

Recorde a paciência inesgotável de Deus.

Quando o trabalho te parecer monótono e inexpressivo, guarda fidelidade aos compromissos assumidos mais um pouco e o estímulo voltará ao nosso campo de ação.

momento de luz

Se você está feliz, ore sempre,

rogando ao Senhor para que o equilíbrio esteja em seus passos.

Se você sofre, ore para que não lhe falte compreensão e paciência.

Se você está no caminho certo, ore para que não se desvie.

Se você está de espírito marginalizado, sob o risco de queda em despenhadeiros ou perigosos declives, ore para que o seu raciocínio retome a senda justa.

Se você está doente, ore a fim de que a saúde possível lhe seja restituída.

Se você tem o corpo robusto, ore para que as suas forças não se percam.

Se você está trabalhando, ore pedindo a Deus lhe conserve a existência no privilégio de servir.

Se você permanece ausente da atividade, ore, solicitando aos Mensageiros do Senhor lhe auxiliem a encontrar ou reencontrar a felicidade da ação para o bem.

Se você já aprendeu a perdoar as ofensas, ore para que prossiga cultivando semelhante atitude.

Se você reprova ou condena alguém, ore rogando à Divina Providência lhe ajude a entender o que faríamos nós se estivéssemos no lugar de quem caiu ou de quem errou, de modo a aprendermos discernimento e tolerância.

Se você possui conhecimentos superiores, ore para que não lhe falte a disposição de trabalhar, a fim de transmiti-los a outrem, sem qualquer ideia de superioridade, reconhecendo que a luz de sua inteligência vem de Deus que no-la concede para que venhamos a fazer o melhor de nosso tempo e de nossa vida, entregando-nos, porém, à responsabilidade de nossos próprios atos.

Se você ainda ignora as verdades da vida, ore para que o seu espírito consiga assimilar as lições que o Mais Alto lhe envia.

Ore sempre.

A oração é o momento de luz, nas obscuridades e provas do caminho de aperfeiçoamento em que ainda nos achamos, para o nosso encontro íntimo com o amparo de Deus.

pensamento e desobsessão

Falamos de pensamento livre.

Analise o corpo de que você se serve no plano material: do ponto de vista do autocontrole, é uma cabine perfeita com dispositivos especiais destinados a sua própria defesa.

O cérebro com os centros diretivos da mente funciona encerrado na caixa craniana, à maneira de usina quase lacrada num cofre forte.

Os olhos registram impressões, mas podem conservá-las em estudo discreto.

Os ouvidos são forçados a escutar o que lhes afete a estrutura, entretanto, não precisam dizer o que assinalam.

A voz é produzida na laringe sem necessidade de arrojar de si palavras em desgoverno.

Mãos e pés por implementos de serviço não se movimentam sem determinações da vontade.

Os recursos do sexo não atuam sem comando mental.

Fácil, assim, verificar que não existe trabalho desobsessivo sem reajuste da emoção e da ideia, porquanto todos os processos educativos e reeducativos da alma se articulam, de início, no pensamento.

Eis porque Jesus enunciou, há quase vinte séculos: — "Não é o que entra pela boca que contamina o homem, mas sim aquilo que, impropriamente, lhe sai do coração".

Quando a enfermidade do corpo trouxer pensamentos de inatividade, procurando imobilizar-te os braços e o coração, persevera com Jesus mais um pouco e prossegue auxiliando aos outros, agindo e servindo como puderes, porque o Divino Médico jamais nos recebe as rogativas em vão.

bilhete da regra áurea

Justo que você peça a felicidade.

Rogue, porém, ao Senhor, igualmente, a necessária compreensão para aproveitá-la, semeando felicidade em seu caminho.

Cultive o contentamento de dar.

Não azede, entretanto, os seus benefícios com a exigência de gratidão.

Estime a sua independência.

Respeite, todavia, a liberdade dos semelhantes.

Fale como julgue melhor.

Ouça, porém, com apreço a palavra do próximo, qualquer que ela seja.

Considere os seus triunfos.

Não desmereça, contudo, as conquistas alheias.

Reconforte os irmãos em prova.

Compartilhe, no entanto, igualmente, a alegria daqueles que se vejam em condições mais favoráveis que as nossas.

Colabore na construção do bem.

Mas não crie dificuldades na obra a realizar.

Perdoe aos adversários.

Desculpe, todavia, os amigos quando aparentemente lhe firam o coração.

Exalte o bem.

Entretanto, não destaque o mal.

Sofra as lutas naturais do caminho a percorrer.

Ofereça, porém, o seu melhor sorriso, por raio de sol da sua fé, para que a sombra passageira de sua inquietação não aumente a intranquilidade dos outros.

Aconselha a Regra Áurea: "faça ao próximo aquilo que você deseja lhe seja feito".

Isso, no fundo, quer igualmente dizer que se você deseja auxílio eficiente, tanto quanto possível, dê auxílio completo aos outros sem desajudar a ninguém.

lembranças de paz

Reconhecer –, mas reconhecer mesmo –, que trabalhando e servindo estamos, acima de tudo, cooperando em favor de nós próprios.

Perseverança no trabalho de execução dos compromissos que assumimos significa noventa por cem na soma do êxito.

Não desestimar a importância e o valor de pessoa alguma.

Nos instantes de crise, usar o silêncio ao invés do azedume.

Zangar-se alguém será sempre dilapidar a própria tarefa.

Perdão para as faltas alheias é a melhor forma de alcançar a desculpa dos outros em nossos próprios erros.

Observar o sinal vermelho para o mal no trânsito das palavras.

Um gesto de simpatia ou gentileza pode ser a chave para a solução de muitos problemas.

Perfeitamente possível administrar a verdade sem ferir, desde que esteja no bálsamo da bondade ou no veículo da esperança.

Nunca nos esquecermos de que a paciência favorece o socorro de Deus.

Em qualquer dificuldade ou impedimento, não te esqueças de usar um pouco mais de paciência, amor, renúncia e boa vontade, em favor de teu próprio bem-estar.

decálogo da desobsessão

Não permita que ressenti-
mento ou azedume lhe penetrem o coração.

Abençoe quantos lhe censuram a estrada sem criticar a ninguém.

Jamais obrigue essa ou aquela pessoa a lhe partilhar os pontos de vista.

Habitue-se a esperar pela realização dos seus ideais, trabalhando e construindo para o bem de todos.

Abstenha-se de sobrecarregar os seus problemas com o peso inútil da ansiedade.

Cesse todas as queixas ou procure reduzi-las ao mínimo.

Louve, – mas louve com sinceridade, – o merecimento dos outros.

Conserve o otimismo e o desprendimento da posse.

Nunca se sinta incapaz de estudar e aprender, sejam quais forem as circunstâncias.

Esqueçamo-nos para servir.

O segredo da vitória, em todos os setores da vida, permanece na arte de aprender, imaginar, esperar e fazer mais um pouco.

auxilia
também

O cérebro trabalha para
que raciocines.

O coração trabalha para que te sustentes.

O sangue trabalha para que te equilibres.

Os nervos trabalham para que observes.

As glândulas trabalham para que te controles.

Os pulmões trabalham para que respires.

Os ossos trabalham para que te levantes.

Os cabelos trabalham para que te protejas.

O estômago trabalha para que te nutras.

Os olhos trabalham para que vejas.

Os ouvidos trabalham para que ouças.

A língua trabalha para que te exprimas.

As mãos trabalham para que construas.

Os pés trabalham para que te movas.

Entre as forças que trabalham, no teu próprio corpo, para servir-te, que fazes de ti mesmo para servir aos outros?

Ante a Lei do Senhor, o ato de servir é luz em toda a parte.

E essa Lei pede em tudo: "ajuda agora alguém".

Assim, quem nada faz, em nada se detém.

Recorda que a preguiça é o retrato da morte.

Toda a vida auxilia. Auxilia também.

Ensina a caridade, dando aos outros algo de ti mesmo, em forma de trabalho e carinho e aqueles que te seguem os passos virão ao teu encontro oferecendo ao bem quanto possuem.

brandura

Insignificante é o pingo

d'água, todavia, com o tempo, traça um caminho no corpo duro da pedra.

Humilde é a semente, entretanto, germina com firmeza e produz a espiga que enriquece o celeiro.

Frágil é a flor, contudo, resiste à ventania, garantindo a colheita farta.

Minúscula é a formiga, mas edifica, à força de perseverança, complicadas cidades subterrâneas.

Submissa é a argila, no entanto, com o auxílio do oleiro, transforma-se em vaso precioso.

Branda é a veste física, que um simples alfinete atravessa, todavia suporta vicissitudes incontáveis e sustenta o templo do Espírito em aprendizado, por dezenas de lustros, repletos de necessidades e padecimentos morais.

O verdadeiro progresso prescinde da violência.

Tudo é serenidade e sequência na evolução.

Aprendamos com a Natureza e adotemos a brandura por diretriz de nossas realizações para a vida mais alta, mas não a brandura que se acomoda com a inércia, com a perturbação e com o mal e sim aquela que se baseia na paciência construtiva, que trabalha incessantemente e persiste no melhor a fazer, ultrapassando os obstáculos que a ignorância lhe atira à estrada e superando os percalços da luta, a sustentar-se no serviço que não esmorece e na esperança fiel que confia, sem desânimo, na vitória final do bem.

Difunde a humildade, buscando a Vontade Divina com esquecimento de teus caprichos humanos e os companheiros de ideal, fortalecidos por teu exemplo, olvidarão a si mesmos, calando as manifestações de vaidade e de orgulho.

dez maneiras de amar a nós mesmos

1 - Disciplinar os próprios impulsos.

2 – Trabalhar, cada dia, produzindo o melhor que pudermos.

3 – Atender aos bons conselhos que traçamos para os outros.

4 – Aceitar sem revolta a crítica e a reprovação.

5 – Esquecer as faltas alheias sem desculpar as nossas.

6 – Evitar as conversações inúteis.

7 – Receber no sofrimento o processo de nossa educação.

8 – Calar diante da ofensa, retribuindo o mal com o bem.

9 – Ajudar a todos, sem exigir qualquer pagamento de gratidão.

10 – Repetir as lições edificantes, tantas vezes quantas se fizerem necessárias, perseverando no aperfeiçoamento de nós mesmos sem desanimar e colocando-nos a serviço do Divino Mestre, hoje e sempre.

Propaga a fé, suportando os revezes de teu próprio caminho, com valor moral e fortaleza infatigável e quem te observa crescerá em otimismo e confiança.

Deus e nós

Somente Deus é a Vida
em si.

Entretanto, você pode auxiliar alguém a encontrar o contentamento de viver.

Somente Deus sabe toda a Verdade.

Mas você pode iluminar de compreensão a parte da verdade em seu conhecimento.

Somente Deus consegue doar todo o Amor.

Você, porém, é capaz de cultivar o Amor na alma dessa ou daquela criatura, com alguma parcela de bondade.

Somente Deus é o Criador da verdadeira Paz.

No entanto, você dispõe de recursos para ceder um tanto em seus pontos de vista para que a harmonia seja feita.

Somente Deus pode formar a Alegria Perfeita.

Mas você pode ser o sorriso da esperança e da coragem, do entendimento e do perdão.

Somente Deus realiza o impossível.

Entretanto, diante do trabalho para a construção do bem aos outros não se esqueça de que Deus lhe entregou o possível para você fazer.

Semeia a paciência, tolerando construtivamente os que se fazem instrumentos de tua dor no mundo, auxiliando sem desânimo e amparando sem reclamar, e os irmãos que te buscam mobilizarão os impulsos de revolta que os fustigam, na luta de cada dia, transformando-a em serena compreensão.

preceitos de paz e alegria

Considerar quem surge, seja

quem seja, por pessoa a quem devemos acatamento e serviço.

Para caminhar, a cabeça mais sábia não prescinde dos pés.

Nada julgar através de aparências.

Cada um de nós traz uma região indevassável nos recessos do espírito, onde unicamente a Sabedoria de Deus pode, com segurança, conhecer os nossos intentos e avaliar o porquê das nossas decisões.

Respeitar os alheios pontos de vista.

É da Divina Lei que toda criatura tenha o seu lugar ao sol.

Evitar reações negativas.

Os outros esperam de nós a simpatia e a bondade que aguardamos de todos eles.

Construir o nosso caminho particular para ir ao encontro dos semelhantes, a fim de ajudá-los de alguma forma.

Somos compreensivelmente gratos ao carinho espontâneo e discreto de alguém que se disponha a entender-nos e auxiliar-nos.

Abster-se de cultivar ou causar qualquer ressentimento.

Reflitamos na lição silenciosa do Céu, rechaçando pacientemente, cada manhã, a influência da sombra.

Aproveitar o benefício do sofrimento.

Para conseguir a firmeza do aço e a formosura da porcelana, é impossível dispensar o concurso do fogo.

Perdoar sem condições.

Em matéria de fraquezas, nenhum de nós pode medir a própria resistência, entendendo-

-se que Deus nos confere ampla liberdade na experiência, infundindo-nos, ao mesmo tempo, a luz da tolerância, como princípio inalienável, em nosso processo de autoaperfeiçoamento e educação.

evitando obsessões

Não deixe de sonhar, mas
enfrente as suas realidades no cotidiano.

Reduza suas queixas ao mínimo, quando não possa dominá-las de todo.

Fale tranquilizando a quem ouve.

Deixe que os outros vivam a existência deles, tanto quanto você deseja viver a existência que Deus lhe deu.

Não descreia do poder do trabalho.

Nunca admita que o bem possa ser praticado sem dificuldade.

Cultive a perseverança, na direção do melhor, jamais a teimosia em pontos de vista.

Aceite suas desilusões com realismo, extraindo delas o valor da experiência, sem perder tempo com lamentações improdutivas.

Convença-se de que você somente solucionará os seus problemas se não fugir deles.

Recorde que decepções, embaraços, desenganos e provações são marcos no caminho de todos e que, por isso mesmo, para evitar o próprio enfaixamento na obsessão o que importa não é o sofrimento que nos visite e sim a nossa reação pessoal diante dele.

Planta a bondade, cultivando com todos a tolerância e a gentileza e os teus associados de ideal encontrarão contigo a necessária inspiração para o esforço de extinção da maldade.

sinceramente

Se você efetivamente de-
seja cooperar com Jesus, nada conseguirá arredá-
-lo do propósito de servir.

Mesmo sob circunstâncias adversas, saberá encontrar recursos para que o bem se manifeste através de suas mãos.

Ao invés de inspirarem-lhe desânimo, os percalços naturais do caminho ser-lhe-ão apelos à perseverança e convites ao devotamento.

Não perderá tempo reclamando situações de privilégio ou esperando condições mais favoráveis ao cumprimento do dever.

Por mais insignificante que considere a sua tarefa, procurará desempenhá-la com a responsabilidade daqueles aos quais a vida já confiou encargos maiores.

Se acontecimentos inesperados lhe impuserem limitações ao campo de ação pessoal, não se acanhará de tornar às suas próprias origens no serviço de natureza espiritual com a alegria e com a esperança que lhe assinalaram os primeiros passos na senda do aperfeiçoamento.

Compreenderá que todo sofrimento é lição, agradecendo à dor a experiência adquirida na cartilha da provação.

Preferirá ser desagradado pelos que ainda não conseguem aceitá-lo como é, do que desagradar a consciência que lhe ensina a ser melhor a cada dia que passa.

Na companhia de amigos, ou solitário, seguirá adiante sem se deixar absorver exclusivamente pelos compromissos de ordem material, lutando, a todo custo, pela emancipação íntima, reconhecendo que toda construção sólida no reino do espírito se alicerça no sacrifício.

Se você sinceramente deseja acompanhar o Mestre na jornada de volta para Deus, tome a sua cruz sobre os ombros e não O perca de vista, em meio às surpresas e desafios da estrada.

Estende as noções do serviço e da responsabilidade, agindo incessantemente na religião do dever cumprido e os amigos do teu círculo pessoal envergonhar-se-ão da ociosidade.

pequenas regras de desobsessão

Procure:

mais do que saber – dominar-se;

mais do que agir – elevar;

mais do que estudar – aprender;

mais do que pensar – discernir;

mais do que falar – educar;

mais do que aconselhar – servir;

mais do que escutar – compreender;

mais do que perdoar – amparar;

mais do que sofrer – resignar-se;

mais do que amar – sublimar.

Quando nos expressamos, usando o modo

imperativo do verbo, não queremos dizer que nós outros, – os amigos domiciliados no Mais Além, – estejamos a cavaleiro dos obstáculos e dificuldades que oneram os companheiros do mundo.

Todos estamos ainda vinculados à Terra. E, na Terra, tanto adoece o cientista que cria o remédio, em favor dos enfermos, quanto os clientes que lhe desfrutam os recursos da inteligência; tanto carrega problemas o professor que ensina, quanto o aprendiz que se lhe beneficia do apoio cultural. Assim também na desobsessão. Todos os apontamentos que se relacionam com o assunto tanto se dirigem aos outros quanto a nós.

Somos arquitetos de nossa própria estrada e seremos conhecidos pela influência que projetamos naqueles que nos cercam.

ps
rogativa do servo

Senhor!

Dá-nos a força, mas não nos deixes humilhar os mais fracos.

Dá-nos a luz da inteligência, no entanto, ensina-nos a auxiliar aos irmãos que jazem nas sombras.

Dá-nos a calma, contudo, não nos consintas viver na condição das águas paradas.

Dá-nos a paciência, entretanto, não nos relegues à inércia.

Dá-nos a fé, mas não nos permitas o cultivo da intolerância.

Dá-nos a coragem, no entanto, livra-nos da imprudência.

Concede-nos, por fim, o conhecimento da harmonia e da perfeição que devemos buscar; não nos deixes, porém, na posição da Vênus de Milo, sempre maravilhosamente bela, diante do Mundo, mas sem braços para servir a ninguém.

Que o Espírito de Cristo nos infunda a decisão de realizar o autoaprimoramento, para que nos façamos intérpretes do Espírito do Cristo.

dez sugestões

Dez sugestões para meditar, antes da crítica:

I – Colocar-nos no lugar da pessoa acusada, pesquisando no íntimo quais seriam as nossas reações nas mesmas circunstâncias.

II – Perguntar a nós mesmos o que já fizemos, em favor da criatura em dificuldade para que ela não descesse de nível.

III – Reconhecer o grau de responsabilidade que nos comete no assunto em pauta.

IV – Observar o *lado bom* do irmão ou da irmã em lide, a fim de concluir se não temos mais razões para agradecer e louvar do que para aborrecer ou reprovar.

V – Recorrer à memória e lembrar, com sinceridade, se já conseguimos vencer qualquer grande crise moral da existência, sem o auxílio de alguém.

VI – Verificar, em sã consciência, se temos efetivamente certeza da falta pela qual são apontados o companheiro ou a companheira, em torno de quem somos convidados a emitir opinião.

VII – Deduzir, pelo estudo de nós próprios, se possuímos suficientes recursos para corrigir sem ofender.

VIII – Examinar até que ponto a criatura acusada terá agido exclusivamente por si ou sob controle e domínio de obsessores, sejam eles encarnados ou desencarnados, com interesse na perturbação do ambiente em que vivemos.

IX – Refletir na maneira pela qual estimamos ser tratados por nossos amigos quando entramos em erro.

X – Orar pelos nossos irmãos menos felizes e por nós mesmos, antes de criticar-lhes quaisquer manifestações.

Sem a caridade do trabalho para as suas mãos, o seu descanso pode transformar-se em preguiça.

quando...

Quando compreendermos

que vingança, ódio, desespero, inveja ou ciúme são doenças claramente ajustáveis à patologia da mente, requisitando amor e não revide...

Quando interpretarmos nossos irmãos delinquentes por enfermos da alma, solicitando segregação para tratamento e reeducação e não censura ou castigo...

Quando observarmos na caridade simples dever...

Quando nos aceitarmos na condição de Espíritos em evolução, ainda portadores de múltiplas deficiências e que, por isso mesmo, o erro do próximo poderia ser debitado à conta de nossas próprias fraquezas...

Quando percebermos que os nossos problemas e as nossas dores não são maiores que os de nossos vizinhos...

Quando nos certificarmos de que a fogueira do mal deve ser extinta na fonte permanente do bem...

Quando nos capacitarmos de que a prática incessante do serviço aos outros é o dissolvente infalível de todas as nossas mágoas...

Quando nos submetermos à lei do trabalho, dando de nós sem pensar em nós, no que tange a facilidades imediatas...

Quando abraçarmos a tarefa da paz, buscando apagar o incêndio da irritação ou da cólera com a bênção do socorro fraternal e abstendo-nos de usar o querosene da discórdia...

Quando, enfim, nos enlaçarmos, na experiência comum, na posição de filhos de Deus e irmãos autênticos uns dos outros, esquecendo as nossas faltas recíprocas e cooperando na oficina do auxílio mútuo, sem reclamações e sem queixas, a reconhecer que o mais forte é o apoio do mais fraco e que o mais culto é o amparo do companheiro menos culto, então, o egoísmo terá desaparecido da Terra, para que o Reino do Amor se estabeleça, definitivo, em nossos corações.

Sem a caridade da tolerância, o seu trabalho seguirá repleto de entraves.

pense nisso

Se você considerasse as
provações e as desvantagens do ofensor...

Se experimentasse na própria pele o processo obsessivo do companheiro caído em tentação...

Se você carregasse a sombra da ignorância, tanto quanto aquele que erra...

Se sofresse a dificuldade do amigo que lhe não pode atender aos desejos...

Se estivesse doente, qual a pessoa que procura ser agradável sem consegui-lo...

Se você fosse uma das criaturas, cuja segurança depende do seu bom humor...

Se conhecesse todas as necessidades de quem precisa da sua cooperação...

Se percebesse em si mesmo o esgotamento daquele que serviu até o extremo cansaço e agora já não lhe pode ser útil...

Se meditasse nas consequências de sua irritação ou de sua cólera...

Se você refletisse na caridade da paz e da alegria, em favor dos outros, que lhe capitalizará, cada vez mais, a própria felicidade, certamente que você nunca perderia a paciência e saberia trazer no coração e nos lábios a boa palavra e o sorriso fraterno por bênçãos incessantes de Deus.

Sem a caridade da simpatia para com os necessitados de qualquer procedência, as suas palavras de corrigenda serão nulas.

pessoa menos obsedável

Não espera milagres de

felicidade, inacessíveis aos outros, mas se regozija pelo fato de viver com a possibilidade de trabalhar.

Ama sem exigências, aceitando as criaturas queridas como são, sem pedir-lhes certificados de grandeza.

Suporta dificuldades e provações, percebendo-lhes o valor.

Não adota cinismo e nem preconceito em seus padrões de vivência, conservando o equilíbrio nas atitudes e decisões, dentro do qual sabe ser útil, com tranquilidade de consciência.

Estuda para discernir e não age impulsivamente, subordinando emoções ao critério do raciocínio.

É firme sem fanatismo e flexível sem covardia.

Acolhe as críticas, buscando aproveitá-las.

Não interfere nos negócios alheios, centralizando o próprio interesse no exercício das obrigações que a vida lhe assinalou.

Aprende a entesourar valiosas experiências, à custa dos próprios erros.

Não cultiva hipersensibilidade neurótica e, em consequência, se desliga com a maior facilidade de quaisquer influências perturbadoras, entrando, de maneira espontânea, no grande entendimento dos seres e das cousas, dentro do qual se faz tolerante e compassiva, afetuosa e desinteressada de recompensas para melhor compreender a vida e desfrutar-lhe os infinitos bens.

Sem a caridade da gentileza, a sua vida social e doméstica será sempre um purgatório de incompreensões.

preceitos de paz

Agora é o seu mais belo

momento para realizar o bem.

Ontem passou e amanhã está por vir.

Qualquer encontro é uma grande oportunidade.

Pense nas sementes minúsculas de que a floresta nasceu.

Não deixe de falar, mas aprenda a ouvir.

Quem sabe escutar pacientemente, encontra pistas notáveis para o êxito no serviço que abraçou.

Fuja de cultivar conversações menos dignas.

O interlocutor terá vindo buscar o seu respeito a Deus e à vida, a fim de equilibrar-se.

Não dê tempo a lamentações.

Meia hora de trabalho, no auxílio ao próximo, muitas vezes consegue alterar profundamente os nossos destinos.

Não mostre rosto triste.

Muita gente precisa de sua alegria para levar alegria aos outros.

Não menospreze quem bate à porta, conquanto nem sempre esteja você disponível.

Em muitas ocasiões, aquele que aparentemente incomoda é o portador de grande auxílio.

A ninguém considere inútil ou fraco.

Um palácio, comumente, é construção enorme; no entanto, nem sempre oferece agasalho ou aceso, sem a colaboração de uma chave.

Não persista em obstinações, reações ou discussões desnecessárias.

Em muitos casos, um simples prego, atacando uma roda, pode retardar a viagem num carro perfeito.

Auxilie a todas as criaturas que lhe partilhem o clima individual.

Ainda mesmo na doença mais grave ou na penúria mais avançada, você pode prestar um grande serviço ao próximo: você pode sorrir.

petição de servidor

Senhor Jesus.

Quando me chames a doar algo do que tenha ou do que eu seja, se não puder oferecer o muito que devo, auxilia-me a entregar o pouco do que disponha.

Se eu não tiver essa ou aquela migalha de recursos materiais em favor dos companheiros em penúria, concede-me forças para dedicar-lhes algum momento de trabalho, sem qualquer ideia de recompensa.

Entretanto, Senhor, se o tempo vier a faltar-me para isso, ajuda-me a falar, no apoio aos irmãos que sofrem, a boa palavra que indique a senda do bem.

Se isso, ainda, não me for possível, guarda--me o silêncio na prece endereçada ao teu Infinito Amor, a rogar-te intercessão e socorro, porque, através da prece, enviar-nos-ás alguém que me substitua e que fará pelos outros muito mais e melhor.

Sem a caridade da desculpa fraterna, seus problemas seguirão aumentados.

mediunidade e você

Intuição — Exerça a faculdade da percepção clara e imediata, mas, para ampliar-lhe a área de ação, procure alimentar bons pensamentos de maneira constante.

Clarividência — Agradeça a possibilidade de ver no plano espiritual; no entanto, no esforço do dia a dia, detenha-se no lado bom das situações e das pessoas, para que os seus recursos não se comprometam com o mal.

Clariaudiência — Regozije-se por escutar os desencarnados; todavia, aprenda a ouvir no cotidiano para construir a felicidade do próximo, defendendo-se contra a queda nas armadilhas da sombra.

Psicofonia – Empreste suas forças para que os Espíritos falem com os homens; contudo, na experiência comum, selecione palavras e maneiras, a fim de que o seu verbo não se faça veículo para a influência das trevas.

Psicografia – Escreva com as entidades domiciliadas fora do mundo físico, mas habitue-se a escrever em benefício da paz e da edificação dos semelhantes, impedindo que a sua própria inteligência se faça canal de perturbação.

Materialização – Dê corpo às formações do plano extrafísico; entretanto, acima de tudo, concretize as boas obras.

Curas – Aplique passes e outros processos curativos, em favor dos enfermos; no entanto, conserve as suas mãos na execução dos deveres e tarefas que o Senhor lhe confiou.

Transportes – Colabore com os seus recursos psíquicos, no trazimento de objetos sem toque humano, mas carregue a caridade consigo para que ela funcione, onde você estiver.

Premonição – Rejubile-se com a responsabilidade de prever acontecimentos; todavia, busque sentir, pensar e realizar o melhor ao seu alcance, na movimentação de cada dia, para que a sua conversa não se transforme em trombeta de pessimismo e destruição.

Mediunidade em geral – Qualquer mediunidade serve a fim de cooperar no parque de fenômenos para demonstrações da existência do Espírito, mas não se esqueça de que a condução dos valores mediúnicos, para o bem ou para o mal, é assunto que está em você e depende de você em qualquer circunstância e em qualquer lugar.

autodesobsessão

Se você já pode dominar a intemperança mental...

Se esquece os próprios constrangimentos, a fim de cultivar o prazer de servir...

Se sabe escutar o comentário infeliz, sem passá-lo adiante...

Se vence a indisposição contra o estudo e continua, tanto quanto possível em contato com a leitura construtiva...

Se olvida mágoas sinceramente, mantendo um espírito compreensivo e cordial, à frente dos ofensores...

Se você se aceita como é, com as dificuldades e conflitos que tem, trabalhando alegremente com tudo aquilo que não pode modificar...

Se persevera na execução dos seus propósitos enobrecedores, apesar de tudo o que se faça ou fale contra você...

Se compreende que os outros têm o direito de experimentar o tipo de felicidade a que se inclinem, como nos acontece...

Se crê e pratica o princípio de que somente auxiliando o próximo, é que seremos auxiliados...

Se é capaz de sofrer e lutar na seara do bem, sem trazer o coração amargoso e intolerante...

Então, você estará dando passos largos para libertar-se da sombra, entrando, em definitivo, no trabalho da autodesobsessão.

Sem a caridade da lição repetida, o seu esforço não auxiliará a ninguém.

desobsessão sempre

Se você aspira a receber,
procure dar.

Se deseja a estima alheia, proporcione apreço sincero aos semelhantes.

Se quer auxílio, auxilie.

Se aguarda compreensão, compreenda.

Se algum de nós observa a presença do mal por fora, vejamo-nos por dentro, a fim de saber se não estamos em condições de estendê-lo.

Se espera desculpa às próprias faltas, esqueça, – mas esqueçamos, de todo coração, – as faltas dos outros.

Se a irritação nos destempera, silenciemos a palavra, até que passe a tormenta da ira.

Se você não aprecia respostas desagradáveis, não faça perguntas irreverentes.

Se sonha elevar-se, eleve também os seus companheiros.

Se dispõe de tempo a perder, ganhe tempo no trabalho ou no estudo.

Desobsedar-se alguém, na essência, será libertar-se da sombra e ninguém se livra da sombra sem fazer luz.

Sem a caridade da cooperação, a sua tarefa pode descer ao isolamento enfermiço.

não julgues
teu irmão

Amigo.

Examina o trabalho que desempenhas.

Analisa a própria conduta.

Observa os atos que te definem.

Vigia as palavras que proferes.

Aprimora os pensamentos que emites.

Pondera as responsabilidades que recebeste.

Aperfeiçoa os próprios sentimentos.

Relaciona as faltas em que, porventura, incorreste.

Arrola os pontos fracos da própria personalidade.

Inventaria os débitos em que te inseriste.

Sê o investigador de ti mesmo, o defensor do próprio coração, o guarda de tua mente.

Mas, se não deténs contigo a função do juiz, chamado à cura das chagas sociais, não julgues o irmão do caminho, porque não existem dois problemas, absolutamente iguais, e cada espírito possui um campo de manifestações particulares.

Cada criatura tem o seu drama, a sua aflição, a sua dificuldade e a sua dor.

Antes de julgar, busca entender o próximo e compadece-te, para que a tua palavra seja uma luz de fraternidade no incentivo do bem.

E, acima de tudo, lembra-te de que amanhã, outros olhos pousarão sobre ti, assim como agora a tua visão se demora sobre os outros.

Então, serás julgado pelos teus julgamentos e medido, segundo as medidas que aplicas aos que te seguem.

Sem a caridade do estímulo ao companheiro que luta, sofre e chora, no trato com as próprias imperfeições, o orgulho se lhe fará petrificado na própria alma.

programa de paz

Cumprir o próprio dever.

Ninguém tranquiliza ninguém, sem trazer a consciência tranquila.

Usar boas palavras e bons modos.

Qualquer viajante da estrada sabe afastar-se do pé de laranja azeda.

Desconhecer ofensas.

A vida não constrange criatura alguma a passar recibo numa serpente para atormentar-se com ela.

Auxiliar indistintamente.

Se a fonte escolhesse os elementos a que prestar benefício, decerto que a Terra seria, francamente, um planeta inabitável.

Não censurar.

A crítica nos traça a obrigação de fazer melhor do que aqueles que nós reprovamos.

Abençoar sempre.

Qualquer trato de solo agradece o adubo que se lhe dê.

Jamais vingar-se.

Pessoa alguma consegue ajudar a um doente, fazendo-se mais doente ainda.

Amar os inimigos.

A obra-prima da escultura nasce no sonho do artista que a concebe, mas não dispensa o concurso do buril que lhe dá forma.

Não se lastimar por fracasso do caminho.

O Sol, em cada hemisfério do mundo, começa a trabalhar de novo, diariamente.

Saber cooperar, a fim de receber cooperação.

O próprio Cristo não consegue sozinho realizar a obra de redenção da Humanidade e, em iniciando o seu apostolado na Terra, procurou doze companheiros que lhe serviram de base à divina missão.

Sem a caridade do auxílio incessante aos pequeninos, a vaidade viverá fortalecida em nosso espírito invigilante.

terapêutica desobsessiva

Você pode:

ter cometido muitos desatinos e viver agora em aflitiva atmosfera de culpa;

achar-se doente;

haver passado por terríveis desenganos;

estar respirando no clima de prejuízos e fracassos;

carregar conflitos interiores;

anotar-se sob nuvens de tentações e desafios;

encontrar-se em desânimo;

observar-se em luta contra perigosos pensamentos negativos;

reconhecer-se ante a pressão de numerosos adversários;

admitir-se em luta diante da crítica.

Você, enfim, talvez se veja em qualquer estado de introdução ao desequilíbrio espiritual, prestes a cair sob cadeias obsessivas... Mas, se você realmente deseja livrar-se disso, deve compreender, antes de tudo, que precisa de esclarecimento e de amparo. Entretanto, para que você obtenha luz e auxílio é indispensável adote duas atitudes fundamentais:

estudar e raciocinar, a fim de se instruir;

trabalhar e servir para merecer.

Sem a caridade do entendimento amigo, a sua franqueza será crueldade.

traços do caráter espírita

Dignidade sem orgulho.

Humildade sem subserviência.

Devotamento sem apego.

Alegria sem excesso.

Liberdade sem licença.

Firmeza sem petulância.

Fé sem exclusivismo.

Raciocínio sem aspereza.

Sentimento sem pieguice.

Caridade sem presunção.

Generosidade sem desperdício.

Conhecimento sem vaidade.

Cooperação sem exigência.
Respeito sem bajulice.
Valor sem ostentação.
Coragem sem temeridade.
Justiça sem intransigência.
Admiração sem inveja.
Otimismo sem ilusão.
Paz sem preguiça.

Sem a caridade do concurso desinteressado e fraterno, as suas dificuldades crescerão indefinidamente.

acende a luz

Ao longo do caminho em

que jornadeias para diante, encontrarás a treva a cercar-te em todos os flancos.

Trevas da ignorância em forma de incompreensão, nevoeiros de ódio em forma de desespero, neblinas de impaciência em forma de lágrimas e sombras de loucura em forma de tentações sinistras.

Acende, porém, a luz da oração e caminha. A prece é claridade que te auxiliará a ver a amargura das vítimas do mal, as feridas dos que te ofendem sem perceber, as mágoas dos que te perseguem e a infelicidade dos que te caluniam.

Ora e segue, adiante.

O horizonte é sempre mais nobre e a estrada sempre mais sublime, desde que a oração permaneça em tua alma em forma de confiança e de luz.

Sem caridade em nosso caminho, tudo se converterá em inquietude, sombra e sofrimento. Por isso mesmo, adverte-nos o Evangelho — "fora da caridade ou fora do amor não existe realmente salvação."

auxílio em desobsessão

A desobsessão em si nasce

originariamente da palavra esclarecedora, através do estudo, mas em muitos casos, na lei das provas necessárias, possuímos instrumentos vários de auxílio a ela, tais quais sejam:

afeições contrariadas — recursos de frenagem, sustando a queda em dramas passionais de resultados imprevisíveis;

desgostos domésticos — válvulas de contenção, impedindo a reincidência em falhas morais;

parente infeliz — advertência constante, obstando a ingerência em faixas de crítica destrutiva;

filho-problema — socorro da Providência Divina, trazendo para dentro de casa o credor de existências passadas, que incomodaria muito mais se estivesse por fora;

doença irreversível — dreno para o escoamento gradativo dos agentes mórbidos, ainda suscetíveis de ligar a criatura com as inteligências enquistadas na criminalidade;

moléstias comuns — desligamento de tomadas mentais capazes de estabelecer conexão com o enredo sutil das trevas;

frustração orgânica — apoio de base contra o mergulho em experiências menos felizes;

decepção — choque reparador da lucidez espiritual;

idiotia — longa pausa do Espírito, diligenciando realizar o próprio reajustamento, ante a Vida Superior.

A reencarnação é sempre evolução, recapitulação, ensino, aprendizado e reaprendizado e tudo isso custa esforço, obstáculo, suor; entretanto, em muitas circunstâncias, é trabalho expiatório, regeneração ou processo curativo.

Por isso mesmo, para as criaturas que se encontram em resgate, nos domínios da culpa, a área terrestre em que se encontram pode ser considerada como sendo região hospitalar e o corpo físico é interpretado por cela de tratamento, com a equipe doméstica, seja na consanguinidade ou nos contatos de serviço, mantendo a terapia de grupo.

Amemos, estudemos, sirvamos, perdoemos e auxiliemos aos outros e a desobsessão será sempre a nossa precisa libertação por bendita luz a brilhar no caminho.

André Luiz
(Espírito)

Desde a publicação do livro *Nosso Lar,* em 1943, recebido pelo médium Chico Xavier, o seu autor espiritual, André Luiz, ficou muito conhecido. Foi o primeiro de uma série de 13 livros, que descortina amplamente, num agradável estilo romanceado, a vida no Plano Espiritual.

Tais obras trouxeram tantas informações novas do Além, que têm sido consideradas, judiciosamente, como verdadeira revelação dentro da Terceira Revelação.

Suas descrições valiosas, acompanhadas de importantes lições de sábios Benfeitores, incluindo avançadas revelações científicas, trazem sempre importante conteúdo evangélico.

Mas, além dessa portentosa obra, André Luiz também enriqueceu a literatura espírita com outras 15 obras, redigindo páginas muito bem elaboradas e de elevado conteúdo doutrinário, sendo 6 em parceria com Emmanuel, 1 com Lucius *(Cidade no Além)* e as demais de Autores Diversos.

Desde o seu primeiro livro, o prefaciador, Emmanuel, esclareceu-nos que: "Embalde os companheiros encarnados procurariam o médico André Luiz nos catálogos da convenção. Por vezes, o anonimato é filho do legítimo entendimento e do verdadeiro amor."

E foi somente em 1993, 50 anos após o lançamento de *Nosso Lar,* que o médium Chico Xavier revelou a identidade do seu autor espiritual: trata-se do notável cientista brasileiro, Dr. Carlos Chagas (1879-1934), descobridor de uma grave enfermidade endêmica que, em sua homenagem, recebeu o nome de Doença de Chagas. (*Anuário Espírita 2004.*)

Meditações Diárias
Chico Xavier | Bezerra e Meimei

Meditações Diárias
Chico Xavier | Emmanuel

Adolfo BEZERRA DE MENEZES Cavalcanti foi médico em sua última encarnação e dedicado trabalhador em torno da unificação espírita. Mas foram nas atitudes que foi identificado como um verdadeiro cristão; desapegado nas questões materiais e preocupado em auxiliar e amparar os mais necessitados, ficou sendo conhecido como "o médico dos pobres", continuando, na espiritualidade, todo o seu legado de Apóstolo da Caridade junto aos mais humildes.

Irma de Castro Rocha, MEIMEI, na última encarnação, e Blandina, no ano 75, dedicada trabalhadora no amparo e instrução infantil, para as luzes do Evangelho, dedica-se, como Espírito, a intenso trabalho em prol das crianças e dos enfermos.

E este livro encerra uma coletânea de textos desses abnegados benfeitores, sempre em parceria com o grande médium Chico Xavier, proporcionando, ao prezado leitor, momentos de reflexão para uma vida mais feliz dentro dos preceitos do Cristianismo Redivivo.

ISBN: 978-85-7341-461-5 | *Mensagens*
Páginas: 96 | **Formato:** 14 x 21 cm

Emmanuel foi o dedicado Guia Espiritual de Chico Xavier e Supervisor de sua obra mediúnica, que deu origem a mais de 400 livros, desdobrando a Codificação realizada por Allan Kardec.

Do seu passado espiritual, sabemos que nos últimos vinte séculos, ele reencarnou várias vezes. Assim, o conhecido romance "Há 2.000 anos..." apresenta-nos a sua existência na figura do senador Públio Lentulus, autor da célebre carta endereçada ao Imperador romano, onde fez o retrato físico e moral de Jesus.

E este livro encerra uma coletânea de suas melhores mensagens, sempre em parceria com o grande médium Chico Xavier, proporcionando, ao prezado leitor, momentos de reflexão para uma vida mais feliz dentro dos preceitos do Cristianismo Redivivo.

ISBN: 978-85-7341-449-3 | *Mensagens*
Páginas: 160 | **Formato:** 14 x 21 cm

idelivraria.com.br

Pratique o "Evangelho no Lar"

Aponte a câmera do celular e faça download do roteiro do **Evangelho no lar**

Ide editora é nome fantasia do Instituto de Difusão Espírita, entidade sem fins lucrativos.

📷 ideeditora   f ide.editora   🐦 ideeditora

◀◀ DISTRIBUIÇÃO EXCLUSIVA ▶▶

📍
Av. Porto Ferreira, 1031 | Parque Iracema
CEP 15809-020 | Catanduva-SP
📞 17 3531.4444   💬 17 99777.7413

📷 boanovaed
▶ boanovaeditora
f boanovaed
🌐 www.boanova.net
✉ boanova@boanova.net

Fale pelo whatsapp

Acesse nossa loja